hiwmor
GARNON

Hugh
7 Tomos St
LLANBUND

CYFRES TI'N JOCAN

hiwmor
GARNON

Garnon Davies

Golygydd: Emyr Llywelyn

y Lolfa

Argraffiad cyntaf: 2010

© Garnon Davies a'r Lolfa Cyf., 2010

Dymuna'r cyhoeddwyr gydnabod cymorth ariannol
Cyngor Llyfrau Cymru

Rhif Llyfr Rhyngwladol:
ISBN: 978-1-84771-269-1

Cyhoeddwyd, argraffwyd a rhwymwyd yng Nghymru
gan Y Lolfa Cyf., Talybont, Ceredigion SY24 5HE
e-bost ylolfa@ylolfa.com
gwefan www.ylolfa.com
ffôn (01970) 832 304
ffacs 832 782

Cynnwys

Rhagair

Pleser yw ysgrifennu rhagair i'r gyfrol hon gan Garnon – does dim eisiau dweud Garnon Davies achos dim ond un Garnon sy yng Nghymru!

Mae Garnon wedi bod yn gyfaill ac yn gymydog i mi yn Ffostrasol am flynyddoedd. Yn ystod yr amser hwnnw rwy wedi cael y fraint o'i adnabod e a'r teulu – Linda, Tresi a Ryland Teifi.

Does dim amheuaeth mai Garnon fu'r dynamo a'r egni tu ôl i lawer iawn o bethau Cymraeg yn y fro gan fod gydag e frwdfrydedd mawr dros y pethe. Dyna i chi'r papur bro *Y Gambo*, Clwb Criced Llechryd, pob digwyddiad diwylliannol ac, wrth gwrs, y Cnapan.

Mae e'n Gymro i'r carn. Mae e hefyd yn sosialydd brwd ac yn gryf dros hawliau pob gweithiwr, hyd yn oed ei gydweithwyr yn Aberporth fu'n tynnu ei goes – bechgyn fel Alan Evans, Gary Morgan ac Adrian Neale.

Daeth yn adnabyddus yng Ngheredigion a thu hwnt gyda pharti Bois y Ferwig sef, i gychwyn, Garnon, Maldwyn Griffiths a Dai Davies. Ymhen amser fe wnaeth eraill ymuno – Ian ap Dewi, Alun

Rees a Peter Evans. Bu cynulleidfaoedd yn rowlio chwerthin ar y sgetsys anfarwol. I ychwanegu at flas y noson byddai Garnon yn efelychu cantorion y dydd – Richie Thomas, Bob Tai'r Felin, Tom Jones a Louis Armstrong. Uchafbwynt y noson fyddai Garnon, gyda'i ddawn i ddal cynulleidfa, yn swyno pawb gyda 'Myfanwy'.

Mae yna rai pobol sy'n dwyn llawenydd i unrhyw gwmni a dyna Garnon i chi. Fe ddywedodd S B Jones am rywun, "Fe ddaw â haf i'r stafell", a dyw hi ddim wedi bod yn aeaf yn Ffostrasol ers blynyddoedd!

Fe fydd prynu a darllen mawr ar y gyfrol hon gan y dyn mawr ei hun. Gobeithio y bydd Garnon yn dal ati i greu chwerthin oherwydd mae'r bobl sy'n medru creu chwerthin iach yn brin. Ond i bawb dros Gymru sydd heb gael y fraint o'i adnabod, dyma gyfrol fydd yn gwneud i chi chwerthin yn uchel a mwynhau haf ei gwmni ble bynnag fyddwch chi.

Tynnu Coes yn yr RAE yn Aberporth

Fe fues i'n gweithio yn y Royal Aircraft Establishment yn Aberporth, ac ar un adeg roedd llawer iawn o grefftwyr yr ardal yn cael eu cyflogi yno. Roedd llawer o dynnu coes yn yr RAE a finnau, am fy mod i'n tynnu coes pawb arall, yn ei chael hi nôl yn aml.

§

Un o'r tynwyr coes gwaethaf oedd Alan Evans, oedd yn cael ei alw'n 'Salad'. Roedd e'n beryg bywyd ac yn fy mhoeni yn ddiddiwedd!

Roedd gan Salad ffordd arbennig o ddweud pethe a disgrifio pobol.

"Jiw, mae'r tato ar dy blât di Garnon fel Banc y Warin!"

"Mae clustiau gyda'r Bobi 'na fel dail riwbob!"

"Mae ei drwyn e fel seidbord!"

§

Roedd yna gawr o ddyn o'r Alban gydag wisgeren goch yn fforman arnon ni i ofalu ein bod ni'n gweithio. Roedd Salad, yn ôl ei arfer, wedi dod draw i siarad â fi pan ddylai e ddim – sef amser rown i wrth fy ngwaith. Fe welodd Salad y dyn yma'n dod o bell, ond doedd y fforman blewog na fi ddim wedi gweld ein gilydd. Dyma Salad yn gwneud sŵn uchel "Me! Me!" yn gywir fel gafar. Fe edrychodd y fforman draw ata i'n gas a dim ond fi oedd e'n weld achos roedd Salad wedi cuddio tu ôl y peiriant. Roedd y dyn druan yn meddwl fy mod i'n gwneud sbort am ei ben e a finnau'n cael enw drwg ar gam!

§

Un tro fe ddalodd arolygwr arall fi wedi gadael fy lle gwaith a mynd draw i gloncan â Salad, ac meddai e wrtha i, "Dwy ddim moyn gweld dy wyneb di draw fan hyn eto, Garnon!"

Fe es i mewn i'r stordy i nôl bocs cardfwrdd, torri dau dwll i'r llygaid a rhoi'r bocs am fy mhen a mynd nôl at Salad a'r arolygwr ac fe fuodd yn rhaid i hwnnw chwerthin!

§

Un tro roeddwn i'n gweithio yn y swyddfa ac fe
ffoniodd un o'r plant yn llefen y glaw i ddweud bod
Benji y byji wedi marw. Heb yn wybod i fi roedd
Salad yn sefyll yn ymyl ac wedi clywed y sgwrs.
Pan es i mewn i'r gwaith drannoeth roedd tua 80 o
bobl yn gwisgo bandiau du am eu breichiau. Dyma
fi'n ddiniwed yn gofyn, "Pwy sy wedi marw?"

A'r ateb gefais i oedd, "Benji y byji!"

Ie, Salad oedd wedi trefnu'r cyfan!

§

Doedd dim llonydd i gael rhag poeni Salad.
Weithiau fe fyddwn i'n mynd i'r toiled am ychydig
i gael hoe am fy mod i'n gweithio mor galed, ac
i ddarllen papur am bum munud. Toiledau hen
ffasiwn oedden nhw gyda chadwyn i dynnu'r dŵr.
Yn sydyn reit fe fyddai ffrwd o ddŵr yn dod a
gwlychu fy rhannau preifat. Ie, Salad oedd wedi
ymestyn dros ochr y ciwbicl ac wedi tynnu'r tshaen
er mwyn rhoi gwlychad i fi!

§

Roedd bod yn rhy dew yn broblem fawr i fi, ac un tro fe benderfynais wneud mwy o ymarfer corff yn y gwaith amser cinio. Fe es i â beic i'r gwaith er mwyn reido o gwmpas y ffyrdd llydan oedd yn ymestyn o gwmpas safle Aberporth. Wrth i fi fynd heibio ar y beic roeddwn i'n gweld pobl yn chwerthin. Dim ond wedyn y dysgais i fod Haydn Parri, un o'r plismyn, yn mynd tu blaen i fi, heb yn wybod i fi, gydag arwydd 'LLWYTH LLYDAN' ar flaen ei landrofer.

§

Fe gyrhaeddodd y tynnu coes ei anterth pan brynais i fotor-beic a mynd â'r motor-beic i'r gwaith y diwrnod cyntaf. Doeddwn i ddim am i neb fy ngweld i am fy mod i mor fawr a'r beic yn fach. Roeddwn i'n edrych fel eliffant ar gefen cwningen! Fe arhosais i ar ôl a gadael i bawb fynd adre o 'mlaen i yn lle bod neb yn fy ngweld i. Ond wrth i fi ddod mas o gefn yr adeiladau a gyrru rownd y gornel tuag at y bwlch fe welais fod pawb wedi casglu yn y glwyd. Bu'n rhaid i fi yrru drwy tua 200 o 'nghydweithwyr a rheiny'n curo dwylo ac yn gweiddi "Hwrê!" Roedd un ohonyn nhw gyda baner â sgwariau du a gwyn arni, fel mewn rasys ceir, ac yn ei chwifio wrth i fi yrru'r motor-beic bach allan drwy'r glwyd!

§

Gan fod cymaint o dynnu coes yn Aberporth fe fyddwn i weithiau yn trio talu nôl i ambell un. Rwy'n cofio pan oedd bechgyn Aberporth wedi cael mynd lan i'r Alban i weithio ar safle tebyg yno am gyfnod. Roedd un o'r bechgyn yn aros yn yr un llety â fi. Doedd e ddim yn cael ei frecwast 'run pryd â ni, ond roedd gwraig y llety yn paratoi dau wy wedi'u berwi a thost iddo fynd gydag e i'r gwaith. Y diwrnod yma roedd yn rhaid iddo fynd mewn yn gynnar ac fe ofynnodd gwraig y gwesty i fi fynd â'r wyau iddo fe. Ond yr hyn wnes i oedd galw mewn siop a phrynu wyau ffres a'u rhoi yn lle'r wyau wedi'u berwi. Ond wnaeth e ddim sôn dim am y peth na dangos bod dim wedi digwydd. Dyna'r ffordd i chi guro'r tynnwr coes!

§

Roedd ambell un yn y gwaith yn barod ei dafod. Un ohonyn nhw oedd Les Reed. Roedd Les yn hwyr i'r gwaith un diwrnod. Dyma fe'n cael ei ddal yn dod mewn yn hwyr a'r fforman yn gofyn, "Pam 'ych chi'n hwyr?" a Les yn dweud, "Niwl. Pan godais i'r bore yma a mynd mas i ben y landin roeddwn ffaelu cael gafael yn y stâr!"

§

Dro arall roedd Les yn hwyr eto. Y fforman yn edrych ar ei watsh, "Mae hi'n bum munud wedi naw!"

Ateb Les oedd, "Dyna beth od – deg munud wedi naw oedd hi ar gloc y farchnad!"

§

Rwy'n cofio un prynhawn twym o haf ac un o'r bechgyn yn cwympo i gysgu amser cinio. O ran diawlineb wnaethon ni ddim ei ddihuno fe. Fe welodd rhywun bod e'n cysgu a galw'r Sister. Pan ddaeth hi a'i weld e fe aeth hi i nôl dau arall a dod nôl â *stretcher* gyda nhw. Dyma hi'n rhoi *smelling salts* dan ei drwyn e. Fe ddihunodd e a gweld y Sister a sylweddoli ei fod mewn trwbwl. Ond fe fuodd e'n ddigon clou i ddweud, "Wy ddim yn teimlo'n dda o gwbwl." Canlyniad hyn oedd ei gario fe bant ar y *stretcher* ac yn y diwedd fe gafodd e bythefnos bant o'r gwaith!

§

Gan fod cymaint o weithwyr ar safle'r RAE roedd toiledau anferth yno. Un tro roeddwn i'n eistedd yn y toiled yn siarad ag un o fy nghydweithwyr oedd yn y ciwbicl drws nesaf. Gan ei fod yn gwybod fy mod i'n ganwr roedd e'n ymffrostio wrtha i am gampau canu ei fab. Fe aeth y sgwrs rywbeth yn debyg i hyn (cystal esbonio bod y dyn ychydig yn rhwym ac yn cael trafferth gwneud ei fusnes!):

"Mae'r mab wedi ennill llawer yn ddiweddar. O! O!"

"Da iawn ti, ble mae e'n cystadlu nesaf?"

"Eisteddfod Bont. O! O!"

"Beth yw'r darn mae e'n ei ddysgu ar gyfer Steddfod Bont?"

"'Arafa Don'. O! O! O! O! O!"

"Bachan — 'na bishyn caled!"

§

Roedd ambell i gymeriad yn gweithio yn Aberporth. Roedd un bachan yn esgus bod yn saer ond doedd dim clem gydag e o gwbwl. Fe ddaeth y fforman heibio a'i weld e'n bwrw sgriw mewn i bren gyda mwrthwl. Fe ddywedodd y fforman wrtho, "Beth ti'n feddwl mae'r sgriwdreifer yn dda?"

A'r bachan yn ateb, "Eu tynnu nhw mas!"

§

Fe ges i ddyrchafiad yn y gwaith ac roedd Salad a'r bechgyn eraill yn mynnu fy mod i'n dathlu'r dyrchafiad cyn dod adre. Yn anffodus i fi roeddwn i wedi anghofio fy mod i wedi dod i'r gwaith ar gefen motor-beic! Dyma fi'n ei mentro hi am adre ac roedd popeth yn mynd yn iawn tra fy mod i'n mynd ar y ffyrdd bach a'r beic yn cadw i fynd. Dyma pryd dysgais i'r egwyddor tu ôl i'r sioe motor-beic 'Wall of Death' lle mae dyn yn reido motor-beic mewn cylch ac ar ongl ond heb gwympo am fod y cyflymdra yn ei gadw fe a'r motor-beic lan. Roeddwn i bron â chyrraedd gartre ac yn canmol fy hunan am ddod mor rhwydd heb gwympo bant o'r beic, ond yn anffodus roedd rhaid i fi stopio pan ddes at linell wen yn ymyl Ffostrasol – doedd dim balans gyda fi ac fe

gwympais i'r llawr! Wnes i ddim mynd ar fotor-
beic ar ôl cael diferyn byth wedyn!

Bois y Ferwig

Pan ddechreuon ni Bois y Ferwig fynd o gwmpas y wlad yn gwneud sgetsys a chanu fe ddaethon ni'n boblogaidd yn weddol glou a chael gwahoddiadau i berfformio rhyw dair gwaith bob wythnos. Fe aeth hyn i'n pennau ni damaid bach ac fe benderfynon ni brynu dillad arbennig, ond y tro cyntaf i ni fynd mas yn ein dillad newydd dim ond llond dwrn oedd yno, a dyma ni'n dod nôl i'r byd iawn yn glou iawn!

§

Rwy'n cofio dod nôl yn hwyr iawn o noson lawen yn y gogledd rywle ac roedd niwl ofnadwy gyda hi. Roedden ni i gyd wedi blino'n ofnadwy ac eisiau cyrraedd gartre i fynd i'r gwely. Roedd Maldwyn yn gorfod gyrru'n araf iawn achos y niwl ac fe ddywedais i wrtho, "Cer dros ben clawdd, Maldwyn, eith yr ambiwlans â ni gartre yn gynt na hyn!"

§

Wedyn fe wnes i gyhoeddi record o 'Mor Unig yw'r Nos' a chaneuon eraill ac fe werthodd hi'n dda. Un noson roedd Bois y Ferwig wedi bod yn rhywle'n diddanu ac wedi galw nôl mewn tafarn yn Bow Street. Fe dynnais i'r gitâr mas a dechrau canu yn y dafarn a chael tipyn o hwyl ac ymateb da gan bawb oedd yno. Ar ôl i fi orffen canu fe roddodd gwraig y dafarn fy record newydd mlaen i bawb gael ei chlywed. Fe ddaeth 'na fachan meddw mlaen ata i a dweud, "Yffarn, roeddet ti'n canu'n dda, cana eto bachan, rwyt ti'n canu lot yn well na'r diawl 'na sy'n canu ar y record 'na nawr!"

§

Gwaith Maldwyn gyda Bois y Ferwig oedd dweud y storïau digri rhwng y canu a'r sgetsys. Mae Maldwyn yn bencampwr am ddweud stori. Dyma i chi flas ar rai o storïau Maldwyn sy'n 'barchus'!

§

Roedd dau hen ŵr yn eistedd ar y fainc ar ben Foel Mwnt yn edrych ar yr adar a *binoculars* gyda nhw.

Fe aethon nhw i ddechrau dadlau pwy oedd â'r *binoculars* gorau. Meddai un, "Pan fydda i'n edrych lan i gyfeiriad Caernarfon rwy'n gallu darllen y cerrig beddau."

Ac meddai'r llall, "Ti'n gweld y llong 'na mas fan yna sy'n edrych fel smotyn ar y gorwel? Rwy'n gallu gweld y bobl ar y dec – a'u clywed nhw'n siarad!"

§

Roedd Maldwyn yn tyngu bod hon yn stori wir. Amser rhyfel roedd bechgyn Maenclochog wedi ymuno â'r Home Guard. Doedd dim lot o siâp arnyn nhw, ac roedden nhw'n destun sbort gan bobol y pentre. Fe fydden nhw'n martsio drwy'r pentre a Lisi May ar ben drws yn dweud wrthyn nhw fynd adre yn lle chwarae plant. Fe benderfynon nhw geisio talu nôl i Lisi May. Wrth fynd heibio i Lisi May, oedd ar ben y drws fel arfer, fe drodd pawb ei ben ati a rhoi saliwt iddi a gwneud sŵn rhechen, "Pwwp!"

Ond Lisi May gafodd y gair diwetha achos fe waeddodd hi ar eu hôl nhw, "Rhechwch chi, bois bach. Cachu yn eich trowser fyddwch chi pan ddaw Jeri!"

§

Gan fy mod i wedi mentro defnyddio'r gair yna fe ddyweda i rai yn unig o straeon Maldwyn sy'n defnyddio'r gair.

§

Roedd Dai yn eistedd yn y dafarn yn edrych yn benisel iawn. Dyma Wil yn dod mewn ac yn gofyn, "Beth sy'n bod? Mae golwg drist iawn arnat ti."

Ac meddai Dai, "Y fenyw 'co – dim ond glanhau a chadw'r lle'n lân sy ar ei meddwl hi. Mae hi'n hwfro'r carped drwy'r dydd – 'sdim llonydd i gael gyda fi o gwbwl. Mae hi'n cadw sŵn arna i fod yn deidi ac yn hala fi i gymhennu fan hyn a fan draw drwy'r dydd."

Meddai Wil, "Cer di gartre nawr a dwed ti'n blaen wrthi hi os bydd hi'n cadw sŵn arnat ti 'to y byddi di'n cachu ar ei charped gorau hi!"

Fe aeth Dai gartre a dweud wrth y wraig, "Os byddi di'n cadw sŵn arna i eto fe fydda i'n cachu ar dy garped gorau di!"

Ac ateb y wraig oedd, "Os cachi di ar fy ngharped gorau i fydd y coffinwr yn sychu dy din di bore fory!"

§

Roedd John yn mynd mas i yfed noson cyn y Nadolig a dod gartre yn feddw mawr. Roedd Mari'r wraig wedi cael llond bola ar hyn. Y Nadolig yma fe ddaeth e gartre yn feddw gaib a Mari'n gorfod ei helpu fe lan i'r gwely. Roedd Mari wedi bod yn paratoi'r twrci erbyn trannoeth a dyma hi'n rhoi'r *giblets* lawr y tu ôl yn ei bans e. Pan ddihunodd e fe waeddodd e ar Mari, "Mari, dere glou, dere glou, rwy wedi cachu 'mherfedd mas – dere lan i hwpo nhw nôl!"

§

Roedd ynad heddwch pwysig wedi bod yn yfed. Roedd e wedi chwydu dros ei ddillad i gyd, ond gan ei fod e'n ddyn perffaith doedd e ddim am gyfaddef i'w wraig ei fod e wedi meddwi a chwydu dros ei hunan. Bore trannoeth, felly, fe ddywedodd wrth ei wraig, "Roeddwn i'n cerdded heibio'r clwb ac fe ddaeth dyn meddw mas a chwydu dros fy nillad i."

"Dyna ddyn ofnadwy," meddai ei wraig. "Mae e wedi cachu yn dy drowser di hefyd!"

Digwyddiadau Lletchwith

Un tro fuodd Glyn, oedd yn medru taflu ei lais, yn aros gyda fi ar ôl perfformio gyda'i byped a alwai'n 'Taid'. Roedd Sais o'r enw Bob yn gymydog i fi ac fe rois i reid nôl o'r Hope and Anchor iddo fe yn fy nghar i 'run pryd â Glyn a Taid. Roedd Glyn tu blaen gyda fi a Taid, y pyped, yn y cefn. Doedd dim golau yn y car ac roedd Bob wedi cael peint neu ddau. Bore trannoeth fe welais i Bob ac meddai Bob, "Dyna ddyn od oedd hwnnw yn y cefen neithiwr. Ddywedes i 'Helo' dair gwaith wrtho fe ond wedodd e ddim byd wrtha i!"

§

Mae llawer i berfformiwr yn hoffi dweud eu bod nhw wedi codi'r to gyda'u perfformiad, ond fi yw'r unig ganwr y gwn i amdano sydd wedi mynd drwy'r llawr. Roeddwn i'n canu yng ngwesty'r Cawdor yng Nghastellnewydd Emlyn un noson. Roedd y Cawdor yn hen westy gyda lloriau pren, ond yn anffodus roedd rhai o'r coed yn y llawr wedi dechrau pydru a hynny heb yn wybod i neb gan fod carped moethus dros y lloriau. Roedd y noson yn cael ei chynnal lan yn y llofft a phethau'n mynd yn dda ond yn sydyn dyma fi'n teimlo'r llawr yn rhoi oddi tana i, ac oni bai am y carped yn fy nal fe fyddwn wedi syrthio drwy'r llawr ac wedi cael niwed cas. Fe ddaliwyd yr eiliad anfarwol gan y camera!

Fe ddaeth y limrig hwn i'r cof:

Fe gwympodd y baswr Ifano
Drwy'r llwyfan ar hanner ei solo;
    Fe gafodd e loes
    Reit rhwng ei ddwy goes
A nawr mae e'n canu soprano!

Gallai, fe allai hi fod wedi bod yn waeth arna i!

§

Ambell waith doedd y gynulleidfa ddim yn ymateb o gwbl, neb yn chwerthin, a ninnau'n teimlo'n ddigalon. Rwy'n cofio un noson fel'ny a Busker Jones yn ceisio ein cysuro drwy ddweud, "Peidwch becso fechgyn – arnyn nhw mae'r bai!"

Arweinwyr
Nosweithiau Llawen

Un o'r pethe mwya pleserus pan oeddwn i gyda Bois y Ferwig oedd cwrdd â llawer o ddigrifwyr oedd yn arwain nosweithiau llawen o gwmpas Cymru.

§

Un o'r rhai mwyaf doniol ac annwyl oedd Dilwyn Edwards o Faenclochog. Roedd gan Dilwyn y ddawn o wneud i bobl wrando ac roedd ganddo stôr enfawr o storïau. Un o storïau Dilwyn sy'n aros yn y cof yw'r stori am ffermwr yn ffonio'r banc ac yn gofyn am gael siarad â'r rheolwr. Dywedodd y ferch oedd yn ateb y ffôn fod rheolwr y banc wedi marw. Mewn hanner awr dyma fe'n ffonio eto a gofyn yr un cwestiwn a chael yr un ateb. Dyma fe'n ffonio'r trydydd tro a'r ferch yn colli ei thymer a dweud, "Mae'r rheolwr wedi marw – rwy wedi dweud wrthoch chi. Pam 'ych chi'n dal i ofyn yr un cwestiwn?"

A'r ffermwr yn ateb, "Rwy'n hoffi clywed chi'n ei ddweud e!"

§

Digrifwr arall poblogaidd iawn yng Ngheredigion oedd y diweddar Alun James o Gilgerran. Roedd y gynulleidfa yn chwerthin dim ond ei weld e. Storïau am John a Mari a Joni Bach oedd gydag e fwyaf. Yr un sy'n aros yn y cof yw'r un am yr athro yn gofyn i Joni Bach, "Pryd wnaeth Owain Glyndŵr farw?" A Joni Bach yn ateb, "Dwy ddim yn gwbod, syr, ni'n byw chwarter milltir o'r ffordd fawr a ddim yn gweld pob angladd sy'n mynd heibio."

§

Arweinydd dawnus oedd Ainsleigh Davies a fu'n brifathro Ysgol Dyffryn Teifi. Storïau am gymeriadau ei filltir sgwâr oedd hoff storïau Ainsleigh, yn enwedig storïau am ryw hanner trempyn o'r enw Bili'r Bwtshwr Bach oedd yn byw yn Llandysul.

§

Roedd llawer o'r arweinwyr hyn yn gwneud nosweithiau am ddim i godi arian i achosion da, ac un arweinydd sydd wedi codi miloedd i Unedau Gofal Dwys Ysbyty Glangwili Caerfyrddin ac Ysbyty Singleton Abertawe yw Ifan JCB.

§

Un arall sydd wedi codi llawer o arian i achosion da drwy ddiddanu yw Phil Hermon. Roedd Phil Hermon yn arwain yn aml ac rwy'n cofio fe yng ngwesty Nant y Ffin gyda ni. Roedd Phil yn cael reid yn fy nghar i ac ar ddiwedd y noson dyma ni'n mynd i'r car. Fe fues i'n ddigon twp i referso nôl heb edrych a chnoco pwmp petrol lawr. Roedd hi'n hylabalŵ yno a finnau'n mynd oddi yno gynted gallwn i a Phil yn chwerthin yr holl ffordd adre!

Dyma un o storïau Phil. Roedd Ianto ar ei wely angau ac yn dipyn o rôg ac wedi bod erioed. Pan alwodd y gweinidog fe ofynnodd e, "Faint 'ych chi'n godi am dalu teyrnged mewn angladd?"

"O, am rywbeth gweddol fyr sy'n dweud y gwir, rhyw £10, wedyn am bach o ganmol rhyw £20 ac am ganmoliaeth uchel rhyw £30."

"Dyma £30 i chi nawr 'te," meddai'r dyn ar ei wely angau.

Pan ddaeth y gwasanaeth yn yr amlosgfa dyma'r gweinidog yn dechrau canmol yr ymadawedig.

"Roedd e'n ddyn da ac annwyl. Cymwynaswr mawr. Caredig ac ystyriol o'i wraig..."

Ac meddai'r wraig wrth y mab, "Dere mas o fan hyn – rwy'n credu ein bod ni yn yr angladd anghywir."

§

Mae gan ambell un y ddawn o ddweud rhywbeth doniol am sefyllfa neu rywbeth sydd newydd ddigwydd. Un felly yw Mair Garnon. Mae Mair fel finnau yn weddol fawr o gorffolaeth ac rwy'n ei chofio hi'n dweud mewn noson yn Abergwaun, "Bydd rhaid i fi fynd o'r llwyfan nawr i Garnon gael dod i'r llwyfan!" Mae gan Mair y ddawn i ddefnyddio ei maint i greu hiwmor.

§

Roedd y bobl oedd yn perfformio ar yr un llwyfannau â ni yn bobl ddiddorol a rhwydd i ddod mlaen gyda nhw. Fe ddaethon ni'n ffrindiau mawr gyda Hogia Llandegai a Hogia'r Wyddfa ac eraill, ond roedd yna ambell un oedd yn mynd dan groen dyn. Roedd un o'r rheiny'n berfformiwr cyfoethog iawn – yn wir, gallai fod wedi prynu ein tŷ bach ni fil o weithiau heb weld eisiau'r arian – ond roedd e'n mynd ar ein nerfau ni am ei fod mor gybyddlyd. Byddai bob amser yn treio begian sigarét wrth rywun.

Un noson yn y car pan oedden ni ar ein ffordd i Bontarddulais i gyngerdd dyma fi'n dweud wrth y bechgyn eraill, "Os daw hwnna i boeni fi heno am sigarét fydda i'n dweud bo fi wedi bennu smoco a bo fi nawr yn smoco pib."

Pan gyrhaeddon ni'r cyngerdd dyma fe'n dod a gofyn i fi am sigarét a finnau'n dweud wrtho fe 'mod i ddim yn smoco bellach ond fy mod i ar y bib. Dyma fe'n dweud, "Jiw, bachan, oes baco gyda ti?" a thynnu pib mas o'i boced! Dim rhyfedd fod e'n gyfoethog iawn, iawn!

Fe chwaraeon ni dric ar y dyn yma un tro. Roedd Maldwyn a fi wedi cytuno i ddweud stori, gyda Maldwyn yn esgus gofyn cwestiwn i fi wrth i fi fynd mlaen â'r stori. Fe ddywedais i stori am y consuriwr Paul Daniels. Dywedais i fod ffrind i fi wedi mynd i sioe Paul Daniels. Dyma Paul Daniels yn gofyn iddo am watsh aur oedd ar ei arddwrn ac yn ei rhoi mewn cwdyn a bwrw'r cwdyn gyda mwrthwl sawl gwaith. Ond yna fe ddaeth â watsh heb ei thorri o'i boced a'i rhoi i fy ffrind. Dyma Maldwyn yn gofyn, "Ai ei watsh e gafodd e nôl?"

"Nage," meddwn i, "ond watsh arall."

Ar ôl y sioe dyma fe'n mynd at Paul Daniels a dweud wrtho nad honno oedd ei watsh. Fe brynodd Paul Daniels beint o gwrw iddo fe a rhoi *doughnut* iddo fe. A chi'n gwybod beth oedd yn y *doughnut*?"

Dyma ein cyfaill yn dweud, "Y watsh iawn oedd yn y *doughnut*."

A finnau'n dweud, "Nage, jam!"

§

Rwy'n edmygwr mawr o Dewi Pws fel dyn ac fel digrifwr. Mae gan Dewi'r ddawn o roi ateb parod. Roedd yna fachan ar bwys y bar yn cadw sŵn pan oedd Dewi ar y llwyfan a Dewi'n gofyn iddo fe a oedd yn ei glywed e, a'r bachan yn ateb ei fod e a Dewi'n dweud, "Rwy'n dy glywed di hefyd!"

Mae Dewi Pws yn arwain nosweithiau ac yn hoffi tynnu fy nghoes i os bydda i yn y gynulleidfa. Fe ddywedodd un tro, "Gyfeillion, ni'n falch bod Garnon gyda ni heno. Dyw e ddim yn gweithio heno – mae e'n arfer bod yn rowndabowt yn Ffostrasol!"

Roedd bachgen tal iawn yn y gynulleidfa ac fe ofynnodd Dewi Pws iddo fe sefyll ar ei draed i ddangos i bawb mor dal oedd e. Roeddwn i'n meddwl fy mod i'n ddiogel nawr a bod Dewi yn pigo ar rywun arall, ond chi'n gwybod beth ddywedodd e?

"Bachan, ti'n fachgen tal, tal iawn, ond 'sen nhw'n rowlo Garnon nes bod e'n fflat fydde fe lot yn dalach na ti!"

§

Mae'n dda gweld arweinwyr ifanc galluog yn dod i'r golwg. Un o'r rhai mwya doniol rwy wedi'i glywed yw Hywel Lloyd o Aberaeron. Dyma ddigrifwr ifanc galluog iawn gyda dawn dweud stori.

Rygbi

Tua thri degau'r ganrif ddiwethaf roedd rygbi yn gêm gymharol newydd yng ngorllewin Cymru. Rwy'n cofio 'Nhad yn dweud stori am Gilgerran ac Aberteifi yn chwarae rygbi yn erbyn ei gilydd pan oedd y gêm yn newydd i'r ardal. Roedd bachgen o Gilgerran, John Jones Morgan, wedi dechrau cael blas ar y gêm ond heb wybod y rheolau'n iawn. Roedd e'n rhedeg nerth ei draed ar hyd y cae ar ôl un o chwaraewyr Aberteifi a hwnnw'n gweiddi, "Dyw'r bêl ddim gyda fi!" ac ateb John Jones Morgan cyn ei lorio fe oedd "*Roedd* hi gyda ti!"

§

Pan oeddwn i'n ifanc roeddwn i mor gegog ag ydw i heddiw ac roeddwn i wastad mewn trwbwl gyda'r dyfarnwr am ateb nôl. Rwy'n cofio chwarae bachwr mewn gêm yn erbyn Llangennech. Roedd eu bachwr nhw hefyd yn gecryn parod ei dafod. Fe aeth hi'n glatsho dwl rhyngddo fe a fi. Dyma'r dyfarnwr yn galw'r pac at ei gilydd ac yn gofyn iddyn nhw ffurfio cylch ac yna fe ddaeth i siarad â fi a'r bachwr arall a dweud, "Os mai bocso yw eich hoff gêm chi, dewch mewn i ganol y cylch fan hyn." Roedd gymaint o gas gyda ni'n dau fe fuon ni fel angylion am weddill y gêm!

§

Yn fy nhymor cyntaf, pan doeddwn i ddim yn fawr iawn, roedd gêm yn erbyn Dinbych-y-pysgod ac roedd prop gyda nhw oedd yn bencampwr bocso Cymru. Pan oeddwn i'n bachu'r bêl roedd e'n dod lawr â'i droed ac yn fy nghicio yn fy nghoes. Roeddwn i'n teimlo ei fod e'n gwneud hyn yn bwrpasol a phenderfynais roi ergyd iddo, ond roeddwn i am aros hyd nes ychydig cyn y chwiban olaf er mwyn peidio rhoi cyfle iddo ddial arna i. Gyda rhyw funud i fynd fe roies i ergyd iddo dan ei ên. Wnaeth e ddim cyffro dim, dim ond edrych arna i. Fe aeth y chwiban a finnau'n meddwl bod y gêm drosodd ond doedd hi ddim. Dyma fi'n gofyn i'r prop, y diweddar Brian Hopkins, gadw llygad arno fe. Fe glywodd prop Dinbych-y-pysgod fi'n gofyn ac meddai e wrtha i, "Paid becso 'machgen bach i, wna i ddim dolur i ti." Roeddwn i'n teimlo mor fach â Twm Twff!

§

Pan oeddwn i'n dechrau chwarae roeddwn i'n dueddol o ddadlau gyda'r reff, ond un diwrnod fe ddysgais i fy ngwers. Roedd hen gyfaill i fi yn reff ar un gêm, sef Eric Llewelyn, brawd Roy Llewelyn, y cynghorydd. Roedd y reff wedi rhoi cic gosb yn fy erbyn i am ryw drosedd yn y sgrym ac fe ddywedais i, "O dere mlaen, reff!"

Ymateb y reff oedd rhoi cic gosb arall a dweud yn gadarn, "Deg llath!"

Ond roeddwn i'n dal i brotestio, "Dere mlaen reff, achan, rwyt ti'n sbwylio'r gêm."

Dyma'r reff yn rhoi cic gosb arall ac meddai e, "Deg llath, a gwell i ti beidio dadle rhagor, Garnon, neu fe fyddwn ni'n bennu'r gêm yma ar y traeth yn Gwbert!"

Fe gafodd Eric Llewelyn enw newydd gyda ni ar ôl hynny – Eric 'Deg Llath'!

§

Fe dorrais i fy nhrwyn ac roedd e'n boenus iawn gyda fi, ond fe ddaeth gwahoddiad i chwarae rygbi dros y sir. Doeddwn i ddim am golli cyfle ac fe chwaraeais i er bod fy nhrwyn heb wella ac yn boenus. Yng nghanol y gêm fe aeth hi'n ymladd rhwng y blaenwyr ac yna roedd y ddau bac yn ymladd a finnau'n sefyll fan hynny yn edrych arnyn nhw!

§

Fe fyddwn i weithiau yn defnyddio tipyn bach o seicoleg er mwyn curo'r gwrthwynebwyr. Roedd Clwb Rygbi Aberteifi yn chwarae rygbi yng nghystadleuaeth Cwpan Haf Crymych. Roedd tîm cryf gydag Abergwaun ac roeddwn i wedi eu gweld nhw'n chwarae. Roedd y bachan roeddwn i'n mynd i'w farcio yn gyflym iawn, yn llawer rhy gyflym i fi ddala fe, ac roedd e wedi gwneud pob ffŵl o gefnwr y tîm arall. Un bach ysgafn, tenau oedd e. Ar ddiwedd y gêm fe es i mlaen ato fe a dywedais y bydden ni'n dau yn chwarae yn erbyn ein gilydd yn y gêm derfynol. Dywedais i wrtho fe fy mod i wedi mwynhau ei weld e'n chwarae, ond fe fyddai'n rhaid iddo fe faddau i fi os byddwn i'n ei daclo fe'n hwyr gan 'mod i mor araf! Fe gafodd e gymaint o ofn, pan ddaeth y gêm roedd e'n pasio'r bêl yn gyflym yn hytrach na cheisio rhedeg heibio i fi! A ni enillodd wrth gwrs!

§

Pan oedden ni'n chwarae rygbi yng ngwaelod sir Benfro fe fydden ni'n galw mewn sawl tafarn ar y ffordd adre, ac un o'r rhain oedd yr Iron Duke yng Nghlunderwen. Un noson roedden ni wedi cael gormod o gwrw ac fe wnaethon ni ddwgyd llawer o bethau o'r lle gan gynnwys carped y stâr a phethau eraill a mynd â'r cyfan adre yn y bws.

Y bore wedyn daeth ffôn i'r clwb yn gofyn am un o'r pethau nôl, sef bwyell oedd yn 300 oed, ond doedd dim gwahaniaeth am y pethau eraill. Dewiswyd fi a Graham Rees, capten y clwb ac ewythr i Jonathan Davies, i fynd nôl â'r fwyell. Wedi cyrraedd fe eisteddodd Graham a fi yn y car tu fas am dipyn yn ofni mynd mewn. Ond wedi mynd mewn fe gaethon ni groeso gan y perchennog a pheint neu ddau a dywedodd fod croeso i ni alw eto unrhyw amser. Ryw bythefnos wedyn, wedi bod yn chwarae yn erbyn Dinbych-y-pysgod, fe wnaethon ni alw eto yn y dafarn. Y tro hwn hefyd fe ddaeth y fwyell nôl gyda ni ar y bws, ond nid fi a Graham aeth â hi nôl yr ail waith!

§

Roeddwn i'n chwarae rygbi'n gyson i dîm Aberteifi pan oeddwn i'n ifanc. Doedd e ddim yn dîm da iawn pryd hynny, ac roedden ni'n colli'r rhan fwyaf o'n gemau. Os byddai rhywun newydd o bant yn dod i weithio i'r RAE yn Aberporth fe fyddai un o sgowtiaid y clwb yn holi a oedd e'n chwarae rygbi. Fe fyddai'r sgowt yn aml yn dweud ei fod e wedi cael gafael ar 'chwaraewr newydd galluog'. Yn anffodus roedd y rhan fwyaf o'r rhai oedd yn dod o dros Glawdd Offa yn meddwl eu bod yn dda iawn, ac yn dweud hynny, ond yn chwaraewyr uffernol o sâl pan oedden ni'n rhoi gêm iddyn nhw.

Daeth un o'r 'chwaraewyr newydd galluog' yma i'r clwb un tro i chwarae droson ni. Gofynnwyd iddo pa safle oedd e ac fe ddywedodd e, "Cefnwr." Ar ddechrau'r gêm fe roddodd un o'r tîm arall gic uchel yn yr awyr a dyma'r 'chwaraewr newydd galluog' yn rhedeg dan y bêl, ond yr hyn wnaeth e yn lle'i dala hi oedd ei phenio hi!

Roedd bechgyn y clwb yn dechrau cael llond bol ar y 'chwaraewyr newydd galluog' yma oedd yn dod o dros y ffin ac oedd yn deall y cwbwl ond yn werth dim. Fe ddaeth un bachan ac meddai wrth y capten, "Ble wyt ti am i fi sgorio fy nghais cyntaf?"

Ac ateb y capten oedd, "Dim rhwng y pyst achos mae dy ben di'n rhy fawr i fynd fan hynny!"

§

Mae rygbi wedi bod yn rhan bwysig o'n teulu ni erioed. Roedd fy mrawd Elfed yn chwaraewr da iawn a bu'n chwarae i Glwb Aberteifi am flynyddoedd. Roedd e'n chwarae ar yr asgell ar un adeg ac yn rhedwr cyflym a pheryglus am ei fod mor gryf. Yn anffodus cafodd ddamwain gas drwy gwympo o do adeilad a niweidio ei gefn. Un tro fe chwaraeodd Elfed i Aberteifi lan yn Lichfield ar ddiwrnod oer iawn yn y gaeaf ac fe fuodd e bron cael *hypothermia* achos chafodd e ddim un bàs drwy'r dydd! Nid Shane yw'r unig asgellwr cyflym sydd wedi cael cam drwy beidio gweld digon o'r bêl!

§

Roeddwn i'n dad balch iawn pan ddechreuodd Tresi chwarae rygbi i Dîm Rygbi Merched Castellnewydd Emlyn. Pan gafodd hi ei dewis i chwarae mewnwr am y tro cyntaf roedd rhaid i

Ryland a fi fynd lawr i Aberteifi i gefnogi. Roedd Ryland a fi yn gwneud llawer o sŵn yn gweiddi cefnogaeth ac yn dweud wrthi beth i neud. Fe ofynnodd un o'r merched eraill, "Pwy yw'r ddau ddyn dwl 'na sy'n gweiddi drwy'r amser?" Ac ateb Tresi oedd, "Sa i'n gwybod pwy 'yn nhw!"

Y bachwr cegog

Garnon a Linda

Yr wyrion: Aron, Myfi, Ceris, Cifa a Lowri

Tresi a Bob

Ryland a Roisin

Cyfeillion Aberporth: Gary, Alan a'u gwragedd

Bois y Ferwig: Peter, Garnon, Maldwyn, Ian ac Alun

Diddanwyr y Nosweithiau Llawen

Canu fel Demis Roussos

Mynd drwy'r llawr!

Y goes o'r ochr isaf!

Hyn a'r Llall

Cymeriad oedd Eser Evans oedd yn arfer gweithio gyda'r Cyngor fel syrfëwr neu arolygydd gwaith. Roedd Eser yn hoff o'i beint ac fe alwodd yn nhafarn y Webley, Llandudoch un diwrnod. Fe gymerodd perchennog y lle fantais ar y ffaith fod Eser yno a dweud wrtho fod ei beipen carthffosiaeth wedi blocio a holi a allai Eser edrych arni. Fe ddaeth Eser nôl mewn chwarter awr a dweud wrth y perchennog o flaen pawb oedd yn y dafarn, "Mae problem gyda chi. Peipen tair modfedd sydd gyda chi ond mae gyda chi rywun fan hyn â thwll tin pedair modfedd!"

§

Fues i'n chwarae criced un amser i dîm Cymraeg y Gwerinwyr. Rwy'n cofio un gêm yn erbyn Llanybydder. Yr arfer oedd bod rhywun oedd ddim yn chwarae yn gwneud gwaith y dyfarnwr a phan es i mas i fatio roedd T Llew Jones yn dyfarnu. Dyma'r bêl yn 'y mwrw i ar y pad a'r bowliwr yn apelio am goes o flaen wiced, neu *lbw*. Roeddwn i wedi darllen mai'r peth gorau i wneud i effeithio ar y dyfarnwr oedd esgus bod dim wedi digwydd. Dyma fi'n cadw fy mhen lawr ac esgus paratoi i wynebu'r bêl nesaf. Roedd T Llew wedi hen godi ei fys a phan godais i fy mhen i edrych arno fe ddywedodd, "Garnon, chi mas!", a doedd dim dewis ond cerdded o'r wiced. Wnes i ddim treio'r tric hynny fyth wedyn!

§

Rwy'n cofio T Llew Jones yn adrodd limrig oedd e wedi'i wneud wrth weld bowliwr cyflym yn bowlio ar lain anwastad ac yn beryg bywyd.

Roedd bowliwr mawr cyflym yn Llambed
Yn chwalu sawl batiwr a wiced,
    Ac meddai llais blin
    Fan draw ar y ffin,
"Smo bowlio mor gyflym yn griced!"

§

Chwarae gwyddbwyll wedyn yn erbyn y Tad Cunnane yn Aberteifi. Roedd peint gyda fi yn fy llaw, ac o barch i'r offeiriad pabyddol fe ofynnais i iddo fe, "Oes gwahaniaeth gyda chi 'mod i'n yfed peint wrth chwarae?"

Ateb y Tad Cunnane oedd, "Garnon bach, yfwch chi faint chi eisiau – gorau i gyd i fi fydd hi!"

§

Roedden nhw'n chwarae snwcer yn neuadd Rhydlewis slawer dydd, ac fe fyddwn i'n mynd â Ryland y mab lawr i gael gêm yno pan oedd e'n grwt ysgol. Roedd y stafell snwcer yn hen neuadd Rhydlewis yn lle gweddol gyfyng achos roedd y ford fawr yng nghanol y llawr a'r to'n isel a llenni trwm ar y ffenestri.

Un noson roeddwn i'n teimlo fy mod i eisiau gollwng gwynt ond roeddwn i am wneud hynny heb fod neb yn sylwi. Fe ddes i i ben â gollwng gwynt heb wneud unrhyw sŵn ond yn anffodus roedd tawch ofnadwy yn y stafell. Meddai Roy Sealy, un o'r cymeriadau lleol, "Bois, mae rhywun wedi poto'r brown!"

§

Mae hynna'n fy atgoffa i o limrig:

Un tro mewn cwrdd yn Nhrelech
Trawodd Ifan ryw anferth o rech;
    Yng nghyfarfod y bore
    Fe ddychrynwyd y core
A chlywyd yr eco'n cwrdd chwech.

§

Pan aeth Ryland bant i'r coleg fe alwodd Tresi, Linda, Mam a fi yn Cross Hands i gael bwyd mewn bwyty lle'r oedd y cadeiriau a'r fordydd wedi'u sgriwio i'r llawr ac yn anodd i fi eistedd ynddyn nhw. Dyma fi'n dweud wrth Mam ar y ffordd mewn, "Peidwch neud ffws obiti fi nawr, Mam, ar ôl i ni fynd mewn."

Mewn â ni, a'r peth cynta wnaeth Mam oedd mynd at y cownter a gofyn, "Oes cadair gyda chi i'r mab?"

A mas o 'ma oedd hi!

§

Pan fydda i'n mynd o gwmpas y wlad i berfformio, un o'r pleserau mawr yw'r wledd y mae'r rhan fwyaf o'r cymdeithasau yn ei pharatoi ar gyfer y perfformwyr ar ddiwedd y noson. Roedd Ian ap Dewi a fi ac Ainsleigh Davies wedi mynd nôl tu cefn i'r neuadd i gael bwyd ar ddiwedd perfformiad. Mae Ian yn hoffi siarad – dyna pam mae e'n gynghorwr sir siŵr o fod! Roedd gwledd fawr o'n blaen ni'n tri ond roedd Ian yn dal i gloncan, felly fe ddechreuodd Ainsleigh a fi ar y bwyd. Pan gyrhaeddodd Ian mewn tua pum munud roedden ni wedi clirio'r platiau i gyd! Fydd Ian byth yn cloncan cyn eistedd lawr i gael bwyd rhagor – rhag ofn!

§

Fe fydda i'n rhyfeddu at fel mae pobl yn medru creu hiwmor a dal i chwerthin hyd yn oed pan fyddan nhw'n ddifrifol wael. Fe gefais i brofiad o hyn yn Ysbyty Glangwili. Roedd pedwar ohonon ni yn y ward – Griff, bachan o Lanybydder, oedd wastad yn gwisgo cap ar ei ben hyd yn oed yn y gwely; bachan o ardal Llambed; a bachan o ardal Blaen-y-coed oedd wedi cael damwain ddifrifol ar y fferm ac wedi cael ei wasgu gan darw nes torri ei asennau. Roedd y bachan o Flaen-y-coed yn gorfod gwisgo masg anadlu am ei ben ac roedd e'n ffaelu cysgu na gorwedd yn y gwely – dim ond eistedd yn y gadair. Fe ddaeth y bachan o Lambed nôl ar ôl cael llawdriniaeth ac roedd e'n gollwng gwynt drwy'r amser. Dyma'r bachan o Flaen-y-coed yn tynnu'r masg oddi ar ei geg ac yn dweud wrth Griff, "Dal sownd yn dy gap!"

§

Rydyn ni'n byw yn ymyl depo y Cyngor yn Ffostrasol. Roedd tri gweithiwr cyngor yn pwyso ar eu rhofiau ac un ohonyn nhw'n brolian, "Roedd twrci mawr gyda ni eleni – 20 pwys!"

Meddai bachan arall, "Roedd un mwy na hynny gyda ni. Roedd e'n 30 pwys – gaethon ni waith ei gael e mewn i'r ffwrn."

Ac meddai'r trydydd, "Bois bach, dyw hynna'n ddim byd. Roedd twrci mor fawr gyda ni gorfod ni gael lori redimics i ddod â'r stwffin!"

Golff

Fe fydda i'n chwarae golff yng nghlwb bach Cwmrhydyneuadd. Os ydych chi'n chwarae golff rhaid i chi ddod i'r clwb hwn – clwb y werin lle mae pobol fel Garin Jenkins, cyn brop Cymru sydd wedi dysgu Cymraeg, a John Bwtsh Williams, rheolwr y clwb, yn llanw'r lle gyda chwerthin iach a hwyl.

Am fy mod i mor drwm ar fy nhraed rwy'n methu cerdded o gwmpas y cwrs golff ac rwy wedi prynu bygi. Ond fydda i ddim yn ei ddefnyddio fe ar yr hewl fawr fel ambell i chwaraewr rygbi! Un tro fe aeth fy ffrind John Curry a fi yn y bygi o gwmpas y cwrs. Roedd hi wedi bwrw tipyn a'r ddaear yn llithrig. Roedden ni ar ddarn serth a dyma'r olwyn yn dechrau troi a'r bygi'n mynd i bob cyfeiriad – ond drwy ryw wyrth dyma ni'n cyrraedd gwaelod y rhiw yn ddiogel. Fe edrychais i ar John – roedd e mor wyn â'r galchen. Dyma fi'n gofyn, "Beth sy'n bod, John, oeddet ti ofan fyddai'r bygi'n moelyd?"

Ac ateb John oedd, "Na, ofni oeddwn i dy fod ti'n mynd i gwmpo ar fy mhen i!"

§

Mae cystadlaethau golff yn cael eu cynnal bob hyn a hyn, gyda gwobrau arbennig. Un tro roedden ni'n chwarae i geisio ennill ffowlyn. Fe ddes i'n bedwerydd – dim ond colli peidio cael ffowlyn – ond wedi chwarae'n dda.

Wrth fynd nôl i'r clwb fe glywais i un o'r bechgyn yn dweud wrth Gerwyn Lloyd, "Diawch, fe whariodd Garnon yn dda heddi!"

"Do," meddai Gerwyn, "mae e bob amser yn chwarae'n dda pan fydd bwyd yn wobr!"

§

Mae cwrs golff Cwmrhydyneuadd mewn cwm cul ac mae e'n serth iawn mewn mannau. Un tro roedd hi wedi bod yn bwrw'n ddi-baid a'r ddaear yn llithrig iawn. Fe gwympes i yn fy hyd ar lawr, ond diolch byth ches i ddim dolur. Wedi mynd nôl i'r clwb fe glywais i fy ffrind, Digby Bevan, oedd mas gyda fi, yn dweud wrth Gerwyn Davies, perchennog y clwb, "Fe gwympodd Garnon ar y cwrs."

A Gerwyn yn gofyn, "Bachan, gath e ddolur o gwbwl?"

"Na – roedd ei fola fe fel bag awyr yn ei achub e!"

§

Ambell waith mae tîm golff Cwmrhydyneuadd
yn chwarae bant ac yn mynd i gwrs crachaidd
lle mae pobol well-na'i-gilydd yn chwarae.
Roedd Price y Pobydd, sy'n dipyn o gymeriad,
yn chwarae gyda Dylan Thomas yn Ashburnham
yn erbyn y crach deall-y-cwbwl yma. Fe gollodd
Dylan y bêl yng nghanol y llwyni ac fe aeth e i
chwilio amdani. Dim ond pum munud sy hawl
gyda chi i gymryd i chwilio pêl ond roedd e wedi
bod ymhell dros hynny. Fe ofynnodd y crachyn
i Price, "Ble mae dy bartner di?" ac fe atebodd
e, "O, mae e wedi mynd i chwilio pêl!"

Sylwad y crachyn oedd, "Mae'r rheolau'n
dweud mai dim ond pum munud sy hawl gyda
chi gael i chwilio am bêl."

Ac fe atebodd Price, "O, mae e wedi mynd i
whilo dwy bêl!"

§

Mae cwrs golff Cwmrhydyneuadd yn un lle
mae llawer o lefydd lle gallwch chi golli pêl. Un
diwrnod fe fues i'n ddigon dwl i ymffrostio wrth

Roy Stephens bo fi ddim yn chwaraewr oedd yn colli llawer o beli, ac ateb hwnnw oedd, "Dwyt ti ddim yn bwrw'r bêl ddigon pell i'w cholli hi!"

§

Roedd Dai yn chwarae golff gyda rhyw ddyn dierth ac fe aeth angladd heibio. Dyma Dai yn tynnu'i gap a phlygu'i ben.

Meddai'r dyn dierth, "Doeddwn i ddim yn gwybod eich bod chi'n ddyn crefyddol."

"Na," meddai Dai. "Dwy ddim yn grefyddol, ond fe fuodd hi'n wraig dda i fi!"

§

Os nad ydw i'n dda yn chwarae golff yna rwy'n falch iawn fod golffiwr yn y teulu. Mae ŵyr fy chwaer Marilyn, sef Sam Lewis, mewn coleg golff yn America, ac rwy'n edrych mlaen i fynd ag e gwmpas cwrs golff Cwmrhydyneuadd.

Canu mewn Côr

Rwy'n aelod o Gôr Blaenporth ac yn cael llawer o hwyl wrth ymarfer a pherfformio gyda nhw.

Aelod arall o'r côr oedd y diweddar Brifardd Dic Jones ac fe wnaeth Dic englyn i fi.

Mae'n un mewn cant o gantor – lleisiwr siŵr
    Dansierus ei hiwmor.
  A fu yn unman gan gôr
  Well dwy dunnell o denor?

§

Un tro fe aeth y côr i Grymych i berfformio. Nawr, rydych chi'n gorfod mynd lawr grisiau yng Nghrymych i fynd ar y llwyfan. Roedd tua thri chwarter y côr wedi mynd ar y llwyfan a dyma fi'n dod lawr y grisiau yn ofalus ac fe glywais i ryw fenyw oedd yn y gynulleidfa'n dweud wrth ei ffrind, "Mae hwnna'n gôr ynddo'i hunan!"

§

Wrth gwrs, gan fy mod i'n weddol o faint mae rhai o fechgyn y côr yn hoffi tynnu fy nghoes i. Fe ddaeth yna fachan tew i ymuno â'r côr, ac meddai Ifan y Gog o Gastellnewydd Emlyn gan edrych arna i, "Falle bod dim Pavarotti gyda ni ond mae Pâr-o-ffatis gyda ni!"

§

Fues i yn canu mewn côr gydag Elfed Lewys yn Ffostrasol. Fe wnaeth Elfed ei orau i gael trefn ar haid o fechgyn direidus ac afreolus ond yn ofer. Y math o beth oedd yn digwydd oedd fy mod i, oedd yn canu yn yr ail reng, ar hanner cyrraedd y nodau uchaf yn y gân yn estyn fy llaw ac yn gwasgu Dai Tomos, oedd yn y rheng flaen, mewn man tyner a hwnnw'n rhoi sgrech uchel ac yn difetha'r cyfan. Rwy'n ofni i'r hen Elfed roi'r gorau i'r syniad o gael bechgyn Ffostrasol i ffurfio côr ar ôl hynny!

§

Rwy'n teimlo trueni dros Elfed Lewys a phob arweinydd côr fu'n ceisio ein dysgu. Fe ddechreuodd

Carol Davies gôr o'r enw Côr Gwinionydd gyda'r bwriad o ganu yn yr Eisteddfod Genedlaethol. I fod yn onest doedd safon lleisiau'r cantorion ddim yn dda iawn. Y darn oedd 'Y Goedwig Werdd' sy'n gorffen ar nodau uchel iawn. Dyma ddiwrnod y gystadleuaeth yn dod a Carol yn rhoi rhybudd i ni'r tenoriaid ar y funud olaf, "Os oes rhai ohonoch chi'n meddwl na allwch chi gyrraedd y nodyn – peidiwch canu fe." Y canlyniad oedd na chanodd yr un o'r tenoriaid y nodyn a dyna'r holl ymarfer yn ofer! Ie, caled yw bywyd arweinydd côr – mae'n ddrwg gyda ni, Carol!

Dyddiau Cynnar

Pan oeddwn i'n grwt yn Llechryd roeddwn i wedi dysgu rhwyfo cwrwgl, ond y drafferth oedd doeddwn i ddim yn gallu nofio. Doedd hyn ddim yn fy rhwystro i rhag mynd â'r cwrwgl ar yr afon yn y pwll dwfn dan y bont a gwneud pob math o ddwli megis sefyll ar fy nhraed i ddifyrru'r ymwelwyr. Roedd Wil Gibby wedi fy ngweld i'n gwneud fy nwli ac roedd wedi dweud wrth Mam, "Roedd Garnon yn dda yn gwneud triciau yn y cwrwg dan y bont ddoe." Pan gyrhaeddais gartre'r diwrnod hwnnw fe gefais bregeth a bonclust gan Mam!

§

Rhaid i fi gyfaddef – cachgi ag ofan y nos bues i erioed! Os bydd sŵn tu fas y tŷ yng nghanol nos, well gyda fi hala Linda mas i weld beth sy yna a finnau'n mynd tu ôl iddi!

Rwy'n cofio amser oeddwn i'n grwt yn Llechryd oedd ofan tywyllwch arna i. Roeddwn i'n aml yn chwarae nes ei bod hi'n tywyllu.

Wedyn roedd rhaid cerdded adre ar hyd ffordd weddol unig. Pan oeddwn i'n dod i'r tŷ diwethaf ar yr hewl fe fyddwn i'n aros nes gweld golau car yn dod ac wedyn yn rhedeg nerth fy maglau i gael mynd ar hyd y darn tywyll yng ngolau'r car. Ond doedd golau'r car ddim yn para'r holl ffordd – roedd un darn, y darn diwethaf, lle'r oedd pont. Roedd 'Nhad wedi dweud wrtha i fod Bwci Pontypwll yn byw dan y bont. Un noswaith wrth i fi redeg dros y bont dyma sŵn rhyfedd. Buwch yn brefu dan y bont oedd yna – ond redodd ddim o Usain Bolt yn gynt dros y canllath diwethaf na fi!

§

Amser oedden ni'n blant fe fydden ni'n mynd dipyn i lan y môr. Fe es i gyda bechgyn eraill i draeth Gwbert a mentro mas rhy bell a mynd i drafferthion. Does dim amheuaeth y byddwn i wedi boddi oni bai i Robert Morgan a Steven Clarke fy achub i. Rwyf wedi dweud y stori wrth nifer o fy ffrindiau ac un diwrnod roedd Robert yn chwarae golff gyda fy ffrind, Alun Rees, ac meddai hwnnw wrtho fe, "Beth ges di wneud shwt beth twp?"

"Beth·wnes i?"

Ac meddai Alun, "Achub Garnon rhag boddi!"

§

Pan ddaeth trydan i'r ardal gyntaf roedd cwmni D J Thomas yn gwerthu bylbiau. Un noson fe dorrodd lladron mewn a dwyn y bylbiau i gyd. Dyma Thomas yn siarad ag un o'r gweithwyr oedd yn amau ei fod wedi gweld rhywun o gwmpas y noson honno.

Ateb y gweithiwr oedd, "Na fi dweud dim, Mr Thomas, ond roedd golau mawr yn nhŷ Mitchell neithiwr!"

Canu yn y Clybiau

Ar ôl i fi briodi fe fues i'n gwneud bywoliaeth drwy fynd rownd yn canu yn y clybiau. Roedd gen i asiant oedd yn trefnu taith i fi, ac fe fyddwn i'n mynd lawr i dde Cymru a lan i ogledd Lloegr i berfformio.

Roedd fy asiant wedi dyfeisio enw llwyfan i fi, sef 'Garnon David'. Roeddwn i'n gwisgo fel canwr proffesiynol – tei bô, siaced felfed las a throwsus melfed o liw gwin gyda *cummerbund* – sef bandyn du am fy nghanol. Roeddwn i'n edrych fel Pavarotti!

§

Amser oeddwn i'n perfformio roeddwn i wedi dysgu un peth, sef i wneud sbort am ben fy mhwysau a'm maint cyn bod y gynulleidfa yn gwneud hynny. Y peth cynta roeddwn i'n ei wneud ar ôl dod i'r llwyfan oedd sefyll tu ôl y meic a gofyn i'r gynulleidfa, "Odych chi'n fy ngweld i?" Yna mynd mlaen i ddweud, "Rwy wedi cael y dillad 'ma ar ôl Harry Secombe!"

§

Roeddwn i'n canu 'Delilah' ac roedden nhw bob amser yn gofyn am gael clywed 'Myfanwy'. Roedden nhw'n cysylltu 'Myfanwy' gyda rygbi a chyda glowyr de Cymru. Roedden nhw'n gynulleidfaoedd oedd yn gwybod beth oedden nhw eisiau ac os nad oeddech chi'n dda roedden nhw'n dechrau siarad a fyddech chi fyth yn cael mynd yn ôl yna wedyn – ond ddigwyddodd hynna ddim i fi, diolch byth.

§

Fydda i'n hoffi cystadlu ar y limrig, ac yn ennill ambell waith!

Roedd menyw yn byw ym Maenclochog
Yn ddeugain fe aeth hi yn feichiog,
    Y gŵr aeth yn gas
    Pan ffindodd e mas
Mai John Jones y gwas oedd y ceiliog.

Y Teulu

Fe gafodd fy nhad, Jac y Felin i bawb, ddamwain ddifrifol iawn pan oeddwn i'n grwt bach, a dwy i ddim yn cofio 'Nhad ond fel dyn ffaeledig ac anabl erioed. Welais i ddim o 'Nhad yn cerdded erioed a'r cof sydd gyda fi ohono fe yw fel dyn mewn cadair olwyn. Gweithio yn y felin lifio oedd 'Nhad, ac un diwrnod fe aeth e a'i frawd i dorri cangen fawr drwchus oedd yn cysgodi'r plas. Roedd ei frawd lan ar y goeden yn llifio a 'Nhad yn dal y rhaff. Yn anffodus fe gwympodd y gangen fawr ar ei ben e a thorri ei asgwrn cefn ac roedd ei goesau yn ddiffrwyth byth wedyn. Nid yn unig hyn ond cafodd niwed i'w fraich a bu'n rhaid torri peth o'i fraich i ffwrdd. Yn anffodus fe gafodd *gangrene* a bu'n rhaid torri rhagor o'i fraich i ffwrdd nes oedd dim ond y stwmpyn braich ar ôl.

§

Mae Mam yn fenyw arbennig ac wedi gweld amser caled gan fod 'Nhad yn fethedig. Er hyn roedd hi bob amser yn llawen a llawn bywyd. Cerddoriaeth oedd popeth iddi hi, a chanu yn arbennig. Fuodd hi'n canu gyda Chôr Pensiynwyr Aberteifi. Pan oedd hi'n ifanc roedd hi'n bencampwraig ar ganu organ geg ac fe fyddai'n ennill llawer ar gystadlaethau cerddorol mewn eisteddfodau gyda'i horgan geg.

§

Fe ddysgais innau chwarae'r organ geg. Wrth gwrs roedd rhaid prynu un well a mwy o faint bob tro wrth fynd yn hŷn. Fe brynais i organ geg fawr ffansi. Un tro fe stopiais i'r car i ofyn y ffordd i ryw foi bach oedd ar ochor yr hewl. Roedd rhyw nam arno druan a ches i ddim synnwyr mas ohono fe. Fe welodd e'r organ geg ar sedd y car ac meddai e, "Mowfforgan – rwy wastad wedi bod ishe mowfforgan."

Fe gymerais i drueni dros y boi bach a rhoi'r organ geg hardd iddo fe. Wrth i fi edrych nôl yn y drych wrth yrru i ffwrdd fe welwn y dyn bach yn edrych ar yr organ geg ac yna'n ei thaflu hi dros ben clawdd! Es i ddim nôl i'w moyn hi ond pan ddyweda i'r stori yna wrth fy ffrindiau maen nhw'n dweud mai hen fabi calon feddal ydw i!

§

Fe fues i'n ddigon lwcus i gwrdd â Linda mewn dawns ym Mlaendyffryn, ac mae hi wedi bod yn gefen mawr i fi ar hyd y blynyddoedd. Fyddai neb arall yn goddef fy nwli i! Roedd Linda yn dda iawn gyda 'Nhad ac fe fyddai hi'n mynd â 'Nhad i lan y môr yn sir Benfro. Rwy'n cofio un tro pan bostiodd teiar y gadair olwyn gyda bang mawr yn Hwlffordd a phawb wedi dychryn yn meddwl bod rhywun wedi tanio gwn.

§

Amser oedd Ryland yn fach roedd e'n hoffi cwmni pobol ac yn siarad â phawb. Ambell waith roedd hyn yn fy nghael i i drwbwl. Roedden ni'n byw yn Llechryd amser oedd y plant yn fach. Roedden ni'n byw ar bwys dibyn serth lle'r oedd pobol yn tipio sbwriel a gadael annibendod. Un o'r bobol oedd yn ffyrnig yn erbyn y tipio yma oedd Tomi Post. Roedd Ryland wrth ei fodd yn gweld Tomi a byddai'n cydio yn ei law ac yn cerdded gydag

e. Un diwrnod dyma'r ddau yn cerdded heibio'r dibyn lle'r oedd y tipio anghyfreithlon ac meddai Ryland wrth Tomi, "Edrychwch, Tomos, co'n hen setî ni fan 'co!"

§

Ffrind mawr arall i Ryland amser oedd e'n hen un bach oedd y gweinidog. Byddai Ryland a'r gweinidog, y Parch. Rhys Thomas, yn cael sgyrsiau hir ac un o'r sgyrsiau oedd am y gwenyn a beth oedden nhw'n ei wneud. Pan ddaeth dydd Sul dyma ni'n mynd i'r cwrdd ac yn eistedd yn y gynulleidfa ac ar hanner y bregeth dyma Ryland yn gofyn ar draws y capel i gyd, "Ody'r gwenyn wedi mynd i gysgu, Mr Tomos?"

§

Ar ôl priodi fe brynais i hen gar oddi wrth y Parch. D J Roberts, Aberteifi. Car bach oedd e a chostiodd e ddim llawer. Un diwrnod fe welais i hen ŵr o'r pentre yn edrych ar y car, ac fe es i ato ac meddai e wrtha i gan edrych ar y car, "Roedd y car yna yn arfer aros o flaen capeli, ond o flaen tafarnau mae e'n aros nawr!"

Ffostrasol

Un o gymeriadau mwyaf Ffostrasol oedd Rachel Roc oedd wedi symud i'r pentre o dŷ yn Nhregroes o'r enw 'Rock'. Roedd hi'n wraig gybyddlyd iawn ac yn finiog iawn ei thafod, fel y dysgais i ddwywaith o leiaf.

Un tro fe aeth Rhys Dafis a fi i gasglu arian i'r Eisteddfod Genedlaethol i dŷ Rachel Roc. Roedd hi'n gynnar yn y nos, tua saith o'r gloch, ac yn dal yn olau. Fe aethon ni mewn drwy'r glwyd a chnocio drws y tŷ. Fe ddaeth Rachel i ffenest y llofft a galw lawr arnon ni, "Beth sy mlaen gyda chi fechgyn 'te?"

"Rydyn ni'n casglu at yr Eisteddfod Genedlaethol sy'n dod i Lambed."

"Fydda i ddim yn mynd – caewch yr iet ar eich ffordd mas."

§

Fe fuodd Linda a fi'n cadw siop yn Ffostrasol, gyda Linda'n gwneud y gwaith a finnau'n bwyta'r losin. Roedd hi wedi bod yn aeaf caled ac oer ac roeddwn i wedi tyfu barf er mwyn cadw'n dwym. Fe fyddwn i o dro i dro yn helpu yn y siop a bob tro byddai Rachel yn dod mewn i brynu cyn lleied ag y gallai hi fe fyddai hi'n dweud wrtha i, "Shafwch yr hen flew yna!"

Wel, fe wellodd y tywydd ac fe siafais i fy marf. Fe welais Rachel yn mynd mewn i'r siop ac fe es i mewn er mwyn cael dweud wrthi 'mod i wedi siafo'r farf a chael y gair diwethaf am unwaith.

"Rachel, rwy wedi siafo'r whisgers."

Ac ateb Rachel oedd, "Mae'r bola gyda chi o hyd!"

§

Allwch chi ddim sôn am Ffostrasol heb sôn am Dai Tomos, y Cymro twymgalon. Roedd Dai yn gwneud llawer gyda'r Cnapan ac yn un o fechgyn y pentre oedd yn cael y babell fawr yn barod ar gyfer yr ŵyl.

Un tro dyma Gwilym Humphreys yn penderfynu tynnu coes Dai, ac yn gofyn i fechgyn y babell roi Iwnion Jac lan ar y polyn ar dop y babell. Danfonodd e Aneurin Arosfa wedyn i ofyn i Dai pam oedd Iwnion Jac ar babell y Cnapan.

Dyma Dai yn dod yn wyllt i gyd ac yn cael gafael ar ysgol fawr i fynd i ben y babell ac yna'n dringo ar hyd to'r babell gan beryglu ei fywyd i dynnu'r faner Jac yr Undeb lawr. Pan oedd Dai yn gafael yn y faner dyma Gwilym yn tynnu ei lun. Ar ôl dod lawr fe ddywedodd e wrth Dai ei fod wedi tynnu'r llun a'i fod yn mynd i roi'r llun yn mhapur bro *Y Gambo* i ddangos Dai yn rhoi'r Iwnion Jac lan ar ben pabell y Cnapan!

§

Mae Dai Tomos yn limrigwr da iawn. Dyma un neu ddau o'i limrigau e.

Un waith fe redodd merch o'r enw Erica Roe ar gae rygbi cyn dechrau gêm ryngwladol a hithau'n borcyn. Fe gofnododd Dai y digwyddiad fel hyn:

Un dydd yn y *Sun* gwelais fodel
A'i bronnau yn hongian yn isel.
Ond gwell gwelais ddo'
Llun Erica Ro,
– Roedd rheiny yn cyrraedd ei bogel!

§

Pan aeth Magi Thatcher i ryfel yn erbyn yr Ariannin a danfon ei llynges yno roedd Dai wedi'i gorddi.

Mae llynges John Bull wedi hwylio
A Magi sydd wrthi'n bytheirio.
    A nawr mae'r hen hwch
    Wedi lansio ei chwch,
Gobeithio yn wir wneith hi suddo!

Cefnogi'r Cochion

Gan fod Llanelli yn glwb rygbi mor Gymreigaidd rhaid oedd mynd i'w gefnogi a phan sefydlwyd y Cochion neu'r Sgarlets roedd rhaid gwneud yr un peth.

Yn anffodus i fi fe wnaethon nhw greu ffordd newydd o fynd mewn i'r cae, sef gatiau troi neu *turnstiles*, ac roeddwn i'n methu mynd mewn drwy rheiny. Pe bawn i wedi mynd yno am y tro cyntaf gyda fy ffrind Eirian Lewis fe fyddai e wedi cael gair bach tawel gyda nhw a byddai'r broblem wedi ei datrys heb ffws. Ond fe es i gyda Howard Blaendyffryn. Pan gyrhaeddon ni'r gatiau troi fe waeddodd Howard ar dop ei lais ar y stiwardiaid fy mod i'n methu mynd mewn drwy'r gatiau a dyma fi'n sydyn yn ganolbwynt sylw pob un, sef rhyw 50 o bobl, yn edrych ar y dyn oedd yn rhy fawr i fynd drwy'r gatiau. Diolch yn fawr, Howard!

Pan glywodd Dewi Pws fy mod i wedi methu mynd mewn drwy'r gatiau troi dyma fe'n gwneud limrig i fi.

Roedd y gatiau ar agor i'r cyhoedd
Bob Sadwrn am un yn rheolaidd
    Ond os na fedrai'r cawr
    Fynd drwy'r *turnstiles* mawr
Shwt ddiawl eith y boi mewn i'r nefoedd?

Iwerddon

Fe briododd Ryland a Roisin yn Iwerddon. Mae Roisin yn ferch i un o deulu enwog cantorion y Brodyr Clancy. Rhaid oedd mynd draw i Iwerddon bob hyn a hyn i weld teulu Roisin. Roedd un o'r teulu yn cadw tafarn yn Ring yn ardal y Gaeltacht lle maen nhw'n dal i siarad Gwyddeleg. Roeddwn i'n canu yn y dafarn yn Ring a dyma fi'n dechrau canu yn Gymraeg a chael sioc o glywed dau neu dri o'r gynulleidfa yn ymuno yn y canu. Roedd y rhan yna o Iwerddon yn gallu gweld rhaglenni Cymraeg ar y teledu ac yn mwynhau ein caneuon gwerin.

Fe ofynnodd un dyn i fi ganu 'Bugeilio'r Gwenith Gwyn' a dyma fi'n gwneud. Eleni, yn rhyfedd iawn, fe fuodd Roisin, sy wedi dysgu Cymraeg, yn canu 'Bugeilio'r Gwenith Gwyn' wrth agor lloches i fenywod yng Nghaerdydd a finnau wedi dysgu'r gân iddi dros y ffôn.

§

Profiad arall rhyfedd oedd bod ym mhriodas Ryland mewn gwesty yn Dungarvan a sylweddoli bod y perchennog a'i wraig yn edrych arna i ac yn siarad â'i gilydd. Fe edrychais i bant ond wedi edrych arnyn nhw eto roedden nhw'n dal i edrych arna i. Dyma nhw'n dod draw ata i a dweud, "Fe welon ni chi ar y teledu y noson o'r blaen." Roeddwn i'n methu deall nes i fi sylweddoli fy mod i wedi bod yn talu teyrnged i'r diweddar Elfed Lewys ar y teledu yr wythnos cynt. Mae'r byd yn fach!

§

Roeddwn i'n eistedd ar bwys yr offeiriad ym mhriodas Ryland ac roedd e'n hoffi dweud storïau. Un stori ddywedodd e oedd am ddau deulu o bysgotwyr o Connemara oedd wedi bod yn elynion i'w gilydd ers blynyddoedd yn yr un briodas. Fe gododd tad y bachgen lan ac fe ddywedodd ei fod e'n falch iawn i fod yno i siarad dros y teulu O'Leary gan eu bod nhw'n hen deulu, a bod eu teulu nhw yn yr arch gyda Noa. Dyma dad y ferch ar ei draed wedyn a dweud bod eu teulu nhw, y teulu Murphy, llawn cystal â theulu O'Leary a'u bod nhw ddim wedi gorfod bod yn yr arch gyda Noa am fod cwch wedi bod gyda nhw erioed!

Mam

Rwy'n ddiolchgar iawn i Mam am bopeth ac yn enwedig am fy magu i hoffi canu.

Roedd llais da gyda fi ac fe fyddai Mam yn mynd â fi o gwmpas yr eisteddfodau bach. Pan ddes i'n henach roeddwn i'n cystadlu mewn eisteddfodau mawr fel Eisteddfod Aberteifi. Rwy'n cofio pan o'n i yn yr Ysgol Fawr mynd i ganu yn Eisteddfod Aberteifi. Roedd rhagbrawf gyda rhyw 30 yn cystadlu ac fe ges i lwyfan. Y gân oedd 'Yr Arad Goch' a dyma fi'n mynd lan i ganu. Fe lynces i boer ar ganol y gân. Fe ddes i nôl ar ôl canu i ganol y pafiliwn lle'r oedd Mam yn eistedd a, heb air o gelwydd, wrth fynd heibio i Mam fe ges i fonclust gyda hi!

§

Un adeg pan oeddwn i'n grwt fe ges i drwbwl gyda fy nghlustiau ac fe aeth Mam â fi i weld arbenigwr. Dyma'r arbenigwr clustiau yn sibrwd wrtha i'n dawel, "Faint yw dy oed di?" a finnau ddim yn dweud dim byd. Dyma fe'n gofyn eto gan sibrwd tamed bach yn uwch, "Faint yw dy oed di?" a finnau ddim yn ateb eto. Dyma Mam yn gweiddi arna i, "Garnon, ateb y dyn ychan!"

A'r arbenigwr yn dweud wrth Mam druan, "Byddwch dawel, fenyw!"

§

Mae Mam mewn cartref yn Llandysul ers blynyddoedd bellach ac mae'n drist gweld henaint yn effeithio ar ei chorff a'i hysbryd. Yr unig beth sy'n gallu codi ei chalon yw canu. Mor drist yw bywyd ac eto mae rhyw ddigrifwch rhyfedd yng nghanol y tristwch. Un diwrnod fe es i i'w gweld hi a dyma'r nyrs yn dweud wrthi, "Mae Garnon yn mynd i ganu i chi."

A hithau, y fam a fu'n mynd â fi i bob steddfod fach i ganu yn grwt, yn ateb, "Ody e'n gallu canu 'te?"

Dyma fi'n dechrau canu a dyma Mam yn agor ei llygaid ac yn dechrau canu gyda fi a'r ddau ohonon ni'n morio canu er bod y dagrau yn llanw fy llygaid.